S0-AJK-379

小海豚有声双语童话
Dolphin Books' Bilingual Audio Fairy Tales

狼和小羊

Big Wolf and Little Lamb

yǒu yì tiáo xiǎo hé huā huā de liú guò sēn lín　　hé shuǐ yòu qīng yòu tián　　néng jiě kě hái néng zhì bìng
有一条小河哗哗地流过森林，河水又清又甜，能解渴还能治病。

There was a small river flowing through the forest. The water was clear and sweet. It could both quench thirst and cure disease.

3

zhè yì nián xià tiān tiān qì tè bié rè yì zhī xiǎo yáng méi yǒu jīng guò mā ma de tóng yì jiù
这一年夏天，天气特别热。一只小羊没有经过妈妈的同意就

lái dào xiǎo hé biān hē shuǐ
来到小河边喝水。

It was very hot this particular summer. A little lamb came to the stream to have a drink of water without telling his mother.

5

zhè shí yì zhī dà huī láng chū xiàn le yuǎn yuǎn de jiù kàn jiàn le xiǎo yáng xīn xiǎng zhè
这时，一只大灰狼出现了，远远地就看见了小羊。心想："这

xià wǒ kě yǒu yí dùn nèn yáng ròu chī le
下我可有一顿嫩羊肉吃了！"

Just at that moment, a big wolf appeared and saw Little Lamb from a distance. He thought to himself, "What luck! A beautiful tender lamb all for me!"

dà huī láng xiǎng zhe xiǎng zhe   jiù qiāo qiāo de kào jìn le xiǎo yáng
大灰狼想着想着，就悄悄地靠近了小羊。

Big Wolf began to slowly and quietly draw nearer to the lamb.

9

xiǎo yáng zhuǎn shēn yào zǒu le　　dàn shì kàn dào dà huī láng　　tā tíng zhù le jiǎo bù　　hǎo xiàng

小羊 转 身要走了，但是看到大灰狼，他停住了脚步，好像

bìng bù zhī dào dà huī láng shì zhuān mén lái chī tā de

并不知道大灰狼是专门来吃他的。

Little Lamb saw Big Wolf just as he was turning around to leave. He paused and seemed unaware that the wolf intended to kill and devour him.

dà huī láng jué de hěn qí guài yú shì wèn xiǎo yáng nǐ bú pà wǒ ma xiǎo yáng shuō
大灰狼觉得很奇怪，于是问小羊："你不怕我吗?"小羊说：

wǒ wèi shén me yào pà nǐ ne
"我为什么要怕你呢?"

Big Wolf was surprised at this and asked, "Don´t you feel scared of me?" Little Lamb said, "Why should I be afraid of you?"

dà huī láng xià hu xiǎo yáng shuō　　nǐ bù zhī dào wǒ yào chī diào nǐ ma　　xiǎo yáng shuō　　wǒ
大灰狼吓唬小羊说："你不知道我要吃掉你吗?"小羊说："我
yòu méi yǒu duì bu qǐ nǐ　　nǐ wèi shén me yào chī diào wǒ ne
又没有对不起你,你为什么要吃掉我呢?"

Big Wolf said in his most frightening voice, "Don't you know I'm going to eat you?" Little Lamb replied, "I have done nothing wrong to you. Why would you want to eat me?"

14

15

dà huī láng xiǎng le xiǎng shuō　　nǐ bǎ shuǐ jiǎo hún le　bú shì cún xīn bú ràng wǒ hē ma　xiǎo
大灰狼 想了想，说："你把水搅浑了，不是存心不让我喝吗?"小
yáng shuō　　kě dāng shí nín zài shàng yóu ya
羊说："可当时您在上游呀!"

Big wolf thought about this for a while and said, "You disturbed the water. Don't you know I have to drink from the stream also?" The lamb said, "But you were upstream at that time!"

17

jiǎo huá de dà huī láng yòu zhǎo jiè kǒu shuō wǒ hái tīng shuō nǐ qù nián bèi zhe wǒ shuō wǒ huài huà

狡猾的大灰狼又找借口说："我还听说你去年背着我说我坏话

ne kě lián de xiǎo yáng shuō qù nián wǒ hái méi chū shēng ne

呢！"可怜的小羊说："去年我还没出生呢！"

The sly Big Wolf found another excuse and said, "I heard you spoke ill of me behind my back last year!" The poor Little Lamb said, "I wasn´t even born last year!"

zhè xià dà huī láng kě bú nài fán le　è hěn hěn de shuō　zhù kǒu　jiù suàn nǐ shuō de dōu
这下大灰狼可不耐烦了，恶狠狠地说："住口！就算你说的都

shì duì de　wǒ hái shì yào chī diào nǐ de　bú yào tài tiān zhēn le　bú guò　wǒ yào xiān hē diǎn shuǐ
是对的，我还是要吃掉你的，不要太天真了！不过，我要先喝点水

rùn run sǎng zi
润润嗓子……"

Now Big Wolf got very impatient and said ferociously, "Shut up! Even if all you say is true, I'll eat you anyway. Don't be so naive! But first, I'd better drink some water to moisten my throat…"

小羊猛然想起妈妈讲过的狼吃羊的故事，趁大灰狼低头喝水的工夫，拔腿就跑，一头钻进了树林。大灰狼找不到小羊，只好扫兴地走了。

Little Lamb suddenly remembered a story about a wolf eating a lamb that his mother had told him. He ran into the forest quickly just as Big Wolf bent to drink. Now the wolf could not find the lamb, so he went away in disappointment.

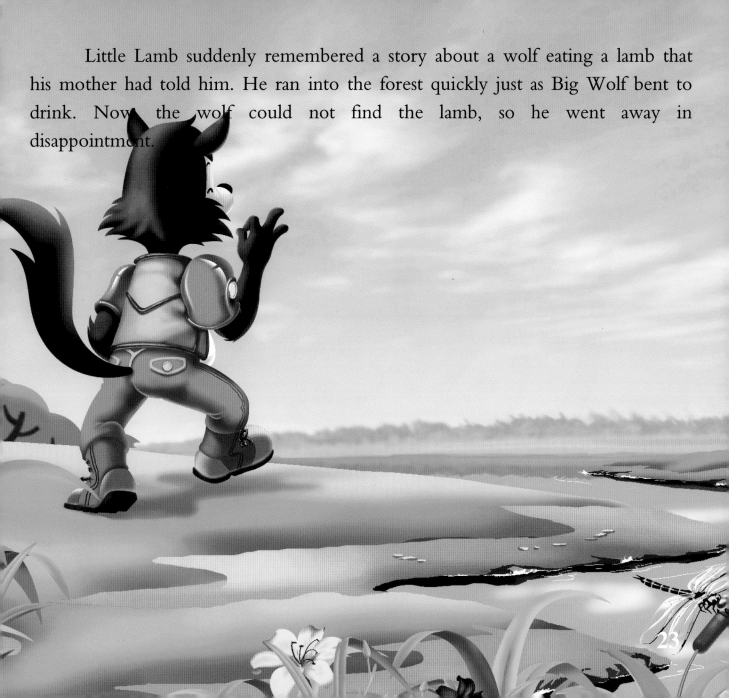

小羊要回家了，聪明的小朋友，小羊走哪条路才不会遇到大灰狼呢？

Little Lamb is trying to go home. Smart little friends, which way should he go to avoid running into Big Wolf?

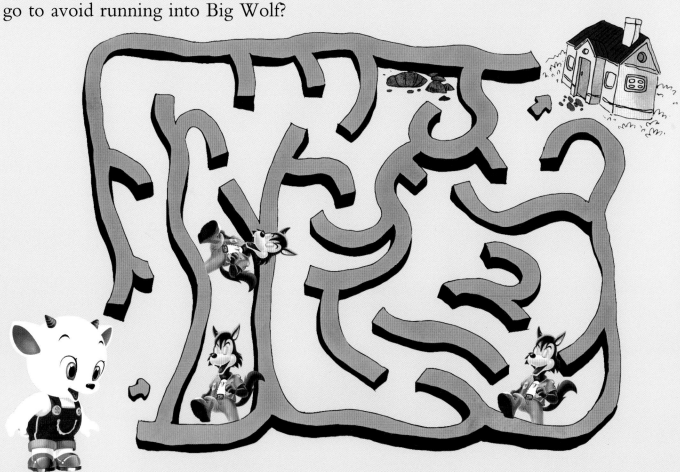

小熊掰玉米

Little Bear Broke off the Corn

cóng qián shù lín biān zhù zhe yì zhī xiǎo xióng chūn tiān dào le tā dǎ suàn zài fáng zi qián miàn
从前，树林边住着一只小熊。春天到了，他打算在房子前面

kāi kěn yì xiǎo kuài dì zhòng shàng zì jǐ xǐ huān chī de yù mǐ
开垦一小块地，种上自己喜欢吃的玉米。

Once upon a time, there was a little bear living beside the woods. He wanted to reclaim a small piece of land in front of his house and plant his favorite food – corn.

27

xiǎo xióng zhǎo lái yù mǐ zhǒng zi　　zhòng zài dì li　　yòu jiāo le hǎo duō shuǐ　　tā xīn li mò

小熊找来玉米种子，种在地里，又浇了好多水。他心里默

niàn zhe　　　　yù mǐ a　　kuài diǎn er zhǎng chū lái ba

念着："玉米啊，快点儿长出来吧！"

Little Bear found some corn seeds, planted them in the land and watered them. He thought to himself, "Corn, corn, please grow very fast!"

28

过了几天，玉米种子果真发芽了，小熊又是浇水、锄草，又是捉虫子，忙得可欢啦！

Several days later, the seeds sprouted. Little Bear began to cheerfully busy himself with watering, weeding and catching worms.

就这样，勤快的小熊每天都起早贪黑地照看玉米，日子一天天过去了，玉米长得又高又壮。

In this way, the hard-working bear took care of the corn every day from dawn to night. As days passed, the corn grew tall and strong.

qiū tiān lái le kàn zhe jīn càn càn de yí dà piàn yù mǐ xiǎo xióng fēi cháng gāo xìng tā

秋天来了。看着金灿灿的一大片玉米，小熊非常高兴！他

xiǎng míng tiān jiù néng shōu huí yí dà duī yù mǐ bà mā zhǔn děi kuā wǒ ne

想："明天就能收回一大堆玉米，爸妈准得夸我呢！"

Fall was coming. Looking at the whole field of golden corn, Little Bear was full of joy! He thought, "I will harvest my corn tomorrow. Mum and Dad will give me such praise for sure!"

34

^{dì èr tiān yí dà zǎo} ^{xiǎo xióng jiù lái bāi yù mǐ le} ^{tā yì biān bāi yì biān xiǎng} ^{jīn nián}
第二天一大早，小熊就来掰玉米了。他一边掰一边想："今年
^{dōng tiān yǒu de chī la}
冬天有的吃啦！"

Early the next morning, the bear came to harvest the corn. He thought as he set to work, "I will have plenty of food for this winter!"

xiǎo xióng hěn kuài de bāi xià le yí gè yù mǐ jiā zài
小熊 很快地掰下了一个玉米，夹在

gē bo dǐ xia yòu cōng cōng máng máng de qù bāi dì èr gè yù
胳膊底下，又匆匆忙忙地去掰第二个玉

mǐ yòu jiā zài gē bo dǐ xia
米，又夹在胳膊底下。

Little Bear broke off a corn and put it under his arm. And then he rushed to the second one and put that one under his arm also.

38

jié guǒ jiā dì èr gè yù mǐ de shí hòu dì yí gè yù mǐ jiù diào zài le dì shang ér

结果，夹第二个玉米的时候，第一个玉米就掉在了地上，而

xiǎo xióng què yì diǎn er yě bù zhī dào hái zài shǎ gàn ne

小熊却一点儿也不知道，还在傻干呢！

As a result, the first corn fell to the ground as he was putting the second one in place. But Little Bear didn´t know at all and went on working!

41

bāi dì sān gè yù mǐ de shí hòu gāng cái jiā zài gē bo dǐ xia de yù mǐ yòu diào le xiǎo

掰第三个玉米的时候，刚才夹在胳膊底下的玉米又掉了。小

xióng hái shì méi chá jué zhào yàng máng gè bù tíng

熊还是没察觉，照样忙个不停。

When he came to the third corn, the second one dropped again. But he was still unaware of it and kept breaking more.

43

jiù zhè yàng xiǎo xióng bāi yí gè diào yí gè zài bāi yí gè yòu diào yí gè

就这样，小熊掰一个，掉一个。再掰一个，又掉一个。

In this way, Little Bear dropped the corn he had gathered as soon as he broke off each new one.

bāi wán le yù mǐ　　cū xīn de xiǎoxióng yì mō　　yí　 zěn me zhǐ yǒu yí gè yù mǐ　　nà xiē

掰完了玉米，粗心的小熊一摸，"咦？怎么只有一个玉米，那些

yù mǐ dōu dào nǎ er qù le ne

玉米都到哪儿去了呢？"

All the corn was finally broken off. The careless Little Bear suddenly noticed, "Why is there only one corn? Where have all those corns gone?"

小朋友，你能帮小熊数一数这块玉米地里结了多少玉米吗？

Little friends, can you help Little Bear count how many corns there are in this field?

小刺猬吃苹果

Little Hedgehog Ate the Apples

qiū tiān dào le　　guǒ yuán li　jiē mǎn le　yòu dà yòu hóng de píng guǒ　　xiǎo cì wei tí zhe lán zi

秋天到了，果园里结满了又大又红的苹果。小刺猬提着篮子

lái dào guǒ yuán

来到果园。

Fall was coming and the orchard was full of big red apples. Little Hedgehog was carrying a basket to the orchard.

zhàn zài píng guǒ shù xià　　tā xīn li xiǎng　　yào shi píng guǒ néng zì jǐ
站在苹果树下，他心里想："要是苹果能自己
diào xià lái gāi duō hǎo ya
掉下来该多好呀！"

Standing under the apple tree, he thought to himself,
"How wonderful if the apples could fall down by themselves！"

于是，小刺猬坐在树下耐心地等啊等，等着苹果从树上掉下来。

And then he sat patiently under the tree to wait for the apples to fall down.

zhǐ tīng pēng de yì shēng zhēn de yǒu yí gè píng guǒ diào xià lái le gāng hǎo luò zài xiǎo cì

只听"砰"地一声，真的有一个苹果掉下来了，刚好落在小刺

wei de miàn qián

猬的面前。

"Bang!" An apple fell right before him.

āi shì gè làn píng guǒ　　xiǎo cì wei rēng diào làn píng guǒ yòu jì xù děng

"唉，是个烂苹果！"小刺猬扔掉烂苹果又继续等。

"Ah, it is a bad apple!" Little Hedgehog threw it away and continued waiting.

pēng　　yòu yí　gè píng guǒ diào xià lái le　　xiǎo cì wei gāo xìng de pǎo guò qù　yí kàn　　　ài
"砰！"又一个苹果掉下来了。小刺猬高兴地跑过去一看："唉，

yòu shì　yí　gè　làn píng guǒ
又是一个烂苹果！"

　　"Bang! " Another apple fell down. Little Hedgehog raced over to have a look, "Ah no, another bad one!"

61

zhè shí　　shù shang de　xǐ què shuō　　diào xià lái de dōu shì làn píng guǒ　　nǐ zhǐ yǒu kào zì jǐ

这时，树上的喜鹊说："掉下来的都是烂苹果，你只有靠自己

de nǔ lì cái néng chī dào hǎo píng guǒ

的努力才能吃到好苹果。"

At that time, a magpie on the tree spoke,"The apples that fall down by themselves are all bad ones. Only through your own efforts, can you get the good ones."

xiǎo cì wei diǎn dian tóu shuō nǐ shuō de duì wǒ kě bú ài chī làn píng guǒ shuō zhe jiù
小刺猬点点头，说："你说得对！我可不爱吃烂苹果！"说着就

xiàng píng guǒ shù shang pá qù zhǔn bèi zì jǐ zhāi píng guǒ
向苹果树上爬去，准备自己摘苹果。

The hedgehog nodded, "Yes, you are right! I don't like bad apples!" Then he climbed the tree to pick the apples himself.

tā pá ya pá ya　dāng tā mǎ shàng jiù néng zhāi dào píng guǒ de shí hòu　hū rán　jiǎo xià yì

他爬呀爬呀，当他马上就能摘到苹果的时候，忽然，脚下一

huá　shuāi dào dì shang le

滑，摔到地上了。

He climbed and climbed. Just as he was about to get an apple, he suddenly slipped and fell to the ground.

66

xiǎo cì wei dǒu le dǒu shēn shang de tǔ   yòu jì xù xiàng shù shang pá qù

小刺猬抖了抖身上的土，又继续向树上爬去。

The hedgehog shook off the dust and started again to climb upwards.

jīng guò nǔ lì tā zhōng yú pá shàng píng guǒ shù chī dào le yòu shú yòu tián de píng guǒ
经过努力，他终于爬上苹果树，吃到了又熟又甜的苹果。

Finally, he climbed to the top of the tree and he got the ripe and sweet apples.

小刺猬和小白兔一起进城做客。小朋友，看看下面的图，你会觉得谁是最受欢迎的小客人呢？

Little Hedgehog and Little White Rabbit went to the town to visit their friends. Dear little friends, please look at the following picture and tell us who do you think will be the most welcome guest?

The Invitation of Little Frog

chí táng biān yǒu zhī xiǎo qīng wā   tā měi tiān bú shì chàng gē jiù shì tiào wǔ   cóng lái bú

池塘边有只小青蛙，他每天不是唱歌就是跳舞，从来不

gàn huó er

干活儿。

There was a little frog near the pool who sang and danced every day but never did any work.

yǒu yì tiān　xiǎo qīng wā xiǎng　　wǒ měi tiān zì jǐ chàng ya tiào ya　tài méi yì si le　wèi
有一天，小青蛙想："我每天自己唱呀跳呀，太没意思了，为

shén me bù qǐng péng yǒu men lái kàn wǒ biǎo yǎn ne
什么不请朋友们来看我表演呢?"

One day, the frog thought, "It's so boring singing and dancing by myself without any audience. Why not invite some friends to watch my performances?"

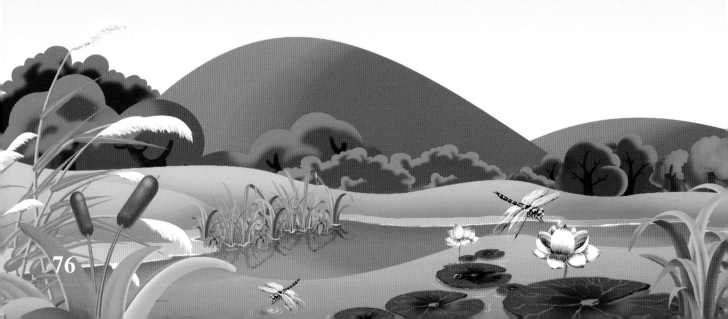

76

tā yì chū mén jiù pèng dào le xiǎo yàn zi　　xiǎo yàn zi　lái kàn wǒ chàng gē tiào wǔ ba　　xiǎo
他一出门就碰到了小燕子："小燕子，来看我唱歌跳舞吧!"小

yàn zi shuō　　bù xíng ya　　wǒ yào qù xián ní lěi wō ne
燕子说："不行呀，我要去衔泥垒窝呢!"

As soon as he went out, he met Little Swallow, "Little Swallow, please come and see my singing and dancing!" "Oh, sorry, I'm getting some earth to build my nest." said the swallow.

tā yòu yù dào le dài shǔ mā ma　　dài shǔ ā yí　lái kàn wǒ chàng gē tiào wǔ ba　dài shǔ
他又遇到了袋鼠妈妈："袋鼠阿姨，来看我唱歌跳舞吧！"袋鼠

mā ma shuō　　bù xíng ya　　wǒ yào qù zhǎo hái zi ne
妈妈说："不行呀，我要去找孩子呢！"

Then he met Aunt Kangaroo, "Aunt Kangaroo, would you please come to see my singing and dancing!" "Oh, sorry, I need to find my kids." Aunt Kangaroo said.

81

kàn dào xiǎo xiē zi　xiǎo qīng wā shuō　　lái kàn wǒ chàng gē tiào wǔ ba　　xiǎo xiē zi shuō　bù

看到小蝎子，小青蛙说："来看我唱歌跳舞吧！"小蝎子说："不

xíng ya　　máng le　yì wǎn shang　　wǒ yào huí jiā shuì jiào le

行呀，忙了一晚上，我要回家睡觉了！"

Then he met Little Scorpion, "Please come to see my singing and dancing!"
"Oh, sorry, I need to go to sleep because I have worked the whole night." said
Little Scorpion.

83

jìn le shù lín　　kàn dào zhuó mù niǎo　　xiǎo qīng wā shuō　　lái kàn wǒ chàng gē tiào wǔ ba　　zhuó

进了树林，看到啄木鸟，小青蛙说："来看我唱歌跳舞吧！"啄

mù niǎo xiào le xiào shuō　　bù xíng ya　　wǒ máng zhe gěi shù mù kàn bìng ne

木鸟笑了笑说："不行呀，我忙着给树木看病呢！"

He saw Woodpecker when he came into the forest. He begged, "Please come to see my singing and dancing!" The woodpecker smiled and said, "Oh, sorry, I´m busy pecking the trees."

85

tā yòu yāo qǐng xiǎo sōng shǔ qù kàn biǎo yǎn xiǎo sōng shǔ shuō bù xíng ya wǒ yào qù zhǎo
他又邀请小松鼠去看表演，小松鼠说："不行呀，我要去找
guǒ zi ne
果子呢！"

Then he invited Little Squirrel. The squirrel said, "Oh, sorry, I´m going to find some nuts."

走出树林，小青蛙邀请老牛，老牛说："不行呀孩子，我要多拔些草存起来冬天吃，不去了。"

After walking out of the forest, Little Frog met Old Ox and invited him. The ox said, "Oh, sorry, my child, I can´t go. I need to pick and save some grass for the winter."

zǒu dào qiáo biān　　tā yòu yāo qǐng hé lǐ de xiǎo lǐ yú　xiǎo lǐ yú huí dá shuō　bù xíng ya

走到桥边，他又邀请河里的小鲤鱼，小鲤鱼回答说："不行呀，

wǒ hái yào

我还要……"

At last, Little Frog came to the bridge and was ready to invite Little Carp. "Oh, sorry, I'm going to…"

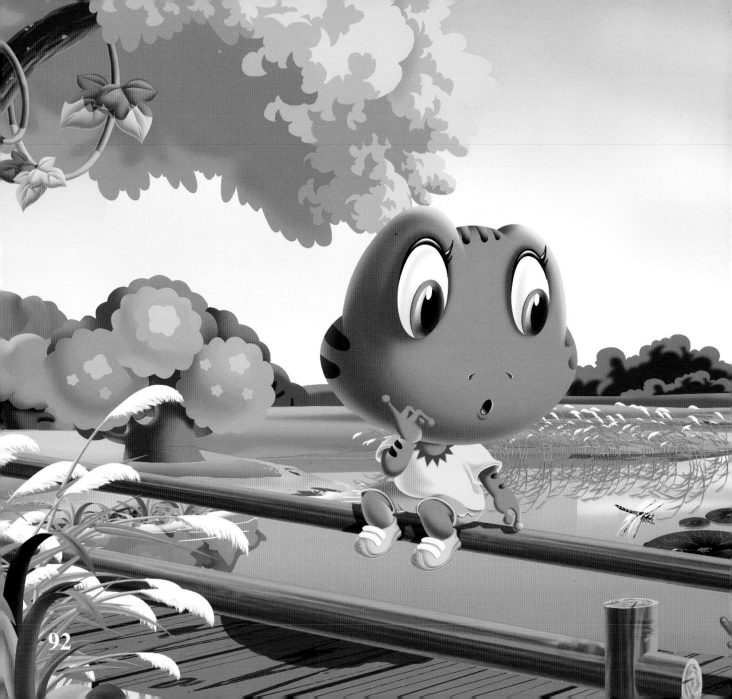

xiǎo qīng wā dǎ duàn tā　　nà mèn ér de wèn　　wèi shén me dà jiā dōu bú yuàn yì kàn wǒ biǎo yǎn

小青蛙打断他，纳闷儿地问："为什么大家都不愿意看我表演

ne　　xiǎo lǐ yú shuō　　dà jiā dōu zài máng　　zhǐ yǒu nǐ měi tiān shén me dōu bú zuò　　zhǐ shì chàng

呢？"小鲤鱼说："大家都在忙，只有你每天什么都不做，只是唱

gē tiào wǔ

歌跳舞。"

The frog interrupted him and wondered, "Why do none of you want to see my performances?" Little Carp replied, "We are all busy, but you do nothing except for singing and dancing every day."

xiǎo qīng wā hóng zhe liǎn shuō　　wǒ míng bai le　　wǒ yīng gāi zuò yǒu yòng de shì　　cóng cǐ　xiǎo

小青蛙红着脸说:"我明白了,我应该做有用的事!"从此,小

qīng wā biàn zhuān xīn de zài nóng tián lǐ zhuō qǐ hài chóng lái

青蛙便专心地在农田里捉起害虫来。

Little Frog's face turned red and said, "I see. I should do something useful!" After that, Little Frog concentrated on catching pests in the fields.

小青蛙觉得天气很热，就把窗户打开了一扇，窗户上的图案会变成什么样子呢？

Little Frog opened the window because it was very hot. What did he see out the window?

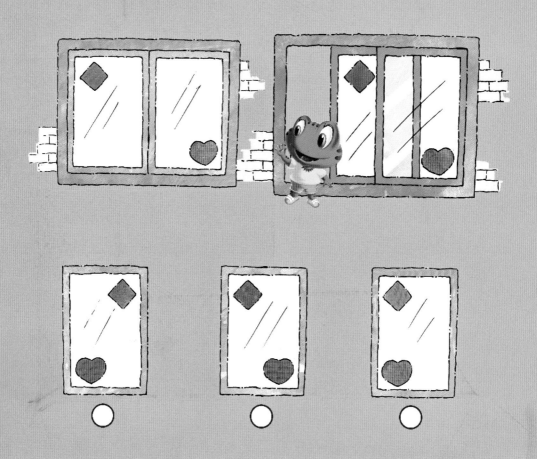